CALIXTO

ROBERT DESNOS

Calixto

suivi de

Contrée

GALLIMARD

302421

Il a été tiré de cet ouvrage, en édition originale pour Calixto,
*quarante-deux exemplaires sur vélin pur fil Lafuma Navarre
numérotés de 1 à 42.*

A S'ENDORMIR A LA LÉGÈRE,
AU BRUIT DES SOURCES, SOUS LE CIEL,
RÊVANT AU RYTHME PLANÉTAIRE,
ON PLONGE, GISANT, DANS LA TERRE
ET SI JAMAIS RÊVE AU RÉEL
RÉVÉLA SECRET OU MYSTÈRE
C'EST EN DORMANT AU BRUIT DES EAUX
ET DU VENT FERMANT SES CISEAUX.

A S'ENDORMIR A LA LÉGÈRE,
SUR LA TERRE, DANS QUEL FOUILLIS,
TERRIENS, SOMBREZ-VOUS ? LA FOUGÈRE
S'ÉCROULE EN PANIERS DE LINGÈRE
DANS UNE ARMOIRE DE TAILLIS
BRODÉS DE SOIE OÙ S'EXAGÈRE
LA LUMIÈRE, HORS DU MANTEAU,
DE TA CHAIR, NYMPHE CALIXTO.

Hors du manteau, la lumière
De ta chair, nymphe Calixto,
En pleine étoile se libère
Du clair de jour et nous éclaire
Tard ou, suivant la saison, tôt.
Mais qu'importe si l'on préfère,
Jailli du manteau de ta chair,
Ton cœur lui-même sombre et clair.

Que l'éclair sombre sur les rives
Où ta chair décline un couchant
Érotique au ciel où s'inscrivent
Nord, Sud, Est, Ouest et leurs dérives
Et les ourses qui dans ce champ
Vont brouter des herbes cursives,
Aurores, nuages, lueurs
Et boire aux rêves les sueurs.

C'est l'heure où les robes s'écroulent,
Où les cuisses, le ventre rond,
Un sourire sous la cagoule,
Les hanches, la croupe qui roule
Vigne promise au vigneron,

Au bain de la nuit qui s'écoule
S'abandonnent dans les baisers
Et s'irritent pour s'apaiser.

Avec des femmes que j'ignore,
O mes amis d'Outre-Océan,
Sous un plafond de météores
Vous déterrez la mandragore.
Je suis toujours du même clan,
Je guette au même sémaphore,
Nymphe prétexte, Calixto,
Le prochain signal de morte-eau.

Que ton chariot, avec ses roues,
Ne puisse franchir l'horizon,
Ou qu'Artémis, le vent en proue,
Te rencontre en ourse garoue
Et t'ajoute à ses venaisons,
Que ton sang colore la boue
Avec celui, ô libation,
Du fruit de ta parturition

Au ciel des couches solitaires
Enfantant des rêves de feu
Ou de glace ou sentant la terre.
Sur les étreintes adultères,
Sur l'équivoque et sur le jeu
Dessinant ton quadrilatère,
Tu es froide comme le Nord,
Nymphe en peine, vaisseau sans port.

Depuis longtemps tu fais la bête
Mais la belle est sous le manteau,
Ainsi dans le poisson l'arête,
Ainsi sous ta chair le squelette

Sur quoi se brise le couteau,
Ainsi la pensée en ta tête,
Le souvenir, le vœu, l'espoir,
La lumière pour mieux voir.

Et de même sous le langage
Se dissimulent maints secrets.
La toute belle en ses bagages
Cache l'étoile aux bons présages
Et le prisonnier aux aguets,
Rêve de belle et de voyages
Comme aux jours de la nef Argo
Dont les marins parlaient argot.

Au rif d'abord, sans qui les châsses
N'auraient plus que dalle à bigler
Et seraient creuses comme un glasse
Lorsque le siffleur en a clâsse,
Au rif d'abord, la bonne clé
Ouvrant les lourdes pour la câsse,
Au rif d'abord, donnons condé
Pour cronir ceux qui sont ladé.

A la tardé, dans le silence,
Amis, c'est pallas d'esgourder
A la source, bonir la lance.
A la tardé, pourtant méfiance
Car elle peut tout inonder
Tout estourbir dans sa violence.
Ah ! Que la lance à la tardé
Maccabe ceux qui sont ladé.

Pour escoffier ces yeux de bronze,
Que l'air se frime en pur cambouis
Avant qu'ils prennent le train onze.

Et qu'il les sale et les déronce,
Les entubant jusqu'aux ribouis,
Jusqu'au battant, jusqu'aux engonces !
Qu'il soit bléchard et débridé
Pour pourrir ceux qui sont ladé.

Quant au bouzin, quant à la crotte
Qui pavoise et fait son persil,
Lorsque la moulana bagotte
A fond de baba sur les mottes,
Que son bide en soit bien farci,
Et que jamais ils n'en déhottent.
Qu'elle soit un Bagneux fadé
Pour saper ceux qui sont ladé !

La grande borgne est loucedoque !
C'est encor marre pour leur blot
Lorsque, mettant les loucepoques,
Ils chialeront la lousseroque
De les assister au pajot
Tant ils auront la loussefroque
De voir les largues en pétard
A labactem les passer dar.

Notre sorgue à nous sera douce,
Toute au béguin, toute aux bécots.
Sans gaffer rien, même la rousse,
Nous pioncerons jusqu'à plus pouce.
Même n'ayant qu'un monaco
Nous le piccolerons sans frousse
Tandis que les vers de sapin
Leur boufferont châsses et tarin.

Mais plus vif que rif, air, bouzin, lance
Feront les pognes des butteurs

Pour liquider la connivence
Et le sapement en instance.
C'est le boniment des lutteurs
Le cri des piafs, le jour de danse
Le coup de bambou au château,
C'est du billard, c'est du gâteau.

Mais toi Calixto la grande ourse
N'aurais-tu pas largué ton bled ?
Icicaille à tes grandes ourses,
Le raisiné cascade à sources
Rien n'est plus droit, tout est en Z.
Comme des faisans à la Bourse,
Les demi-sels se croient des mecs.
Mektoub ! un jour ils l'auront sec.

Car le trèpe est toujours le trèpe,
Il la boucle et prend ses biftons
Pour régler leur compte à ces crèpes,
Visant leur mesure de crêpe
Pour le jour de la Saint-Bâton.
Elle n'est pas folle la guêpe
Qui, dans la noye, ô Calixto
Entrave ce jour pour bientôt.

Les clignotantes dans la sorgue
En attendant font leur tapin,
Le bourguignon fait ronfler l'orgue
Pendant que se bourre la morgue,
Le piaf des bois gouale aux lapins
Et le piscaille à pleines forgues
Ripe en fusant dans les coinstos
Où le flot frise et fait château.

Dans l'allée où la nuit s'épaissit sous les chênes
Le pas lent d'un cheval retentit et, parfois
S'attarde. Un son de cor s'efface dans la plaine
Et les arbres jumeaux grincent de tous leur bois

Comme le brodequin qu'aux mises en géhenne
On serrait sur le pied d'un captif aux abois.
Chambre ardente, réveils quand les hommes de peine
Chargent douze fusils pour outrager les lois.

Dans l'allée, à travers les feuilles de Septembre,
Je vois briller des nœuds d'étoiles à tes membres
Comme des feux de quart sur le pont des bateaux.

J'entends chanter un chant de meurtre et de torture
Par la coque et la barre et le bruit des mâtures
Imite un brodequin faisant craquer des os.

Par les arbres brisée en ténébreuse écume
La nuit connaît une agonie et sa fureur
Se transforme en cyclone où la flamme s'allume,
D'où le vent est absent, où le calme est terreur.

Tout est silence alors. La nébuleuse fume
Au trépied d'un destin convoité par la peur,
Le feu danse et, déjà, le marteau sur l'enclume
Attend le forgeron pour le dernier labeur.

Un milliard d'êtres souhaitaient voir ce spectacle
Et voici qu'en la nuit, où les constellations
Se rangent sans erreur en forme de pentacles,

Tout s'accomplit tandis que tout dort, homme ou femme;
Ah ! que le jour se lève à la fin de l'action
Et je leur montrerai les vestiges du drame.

L'aube à la fin s'enfuit d'une cruche brisée
Quand tu trébuches, Calixto, et ta lanterne
Change et le paysage, avec lui-même, alterne
Révélant des tessons sur la terre baisée.

Tes baisers Calixto dans la vague alizée
Sont roulés et polis et tes yeux dans leur cerne
Sombrent à fond de larme et ton regard en berne
N'atteint plus ton reflet sur la mer apaisée.

Ourse, rejoins, c'est l'heure, une tanière obscure
A force de soleil et, courbant l'encolure,
Continue, invisible, à marcher par les airs.

On entendra pourtant tes râles et tes plaintes
Dans la vie où s'embrouille un fil de labyrinthe :
Écoutez Calixto rugir dans son désert.

Que fureur soit ton cri ! Les laves et les neiges
Se mêlent dans ce cœur vomissant les rayons,
Les dents mordant la langue et tranchant le bâillon
Plus dures qu'à ta chair les mâchoires du piège.

Et tournant et ruant autour de ton manège,
Soleil d'algèbre et son moyeu de tourbillons
Et tire et brise et scelle un à un les maillons
D'une chaîne enserrant les membres du cortège.

Râle, à quoi bon les cris, la bave et le salpêtre
Un sommeil de mangeaille et de pourpre renaître
Tu, vous, les autres, nous, clames, clamez, clamons,

Trois serpents plein la gueule et l'averse d'ordure
Qui tombe sur tes yeux et dans ta chevelure.
Le jour qui t'effaça disperse les démons.

Cesse, ô Calixto, de crier qu'un ciel, ce ciel, est ton exil
Loin de l'amant olympien, celui qui ouvrit ta tunique.
(Car tu en as fait de belles sur terre aux jours de ton avril
Avant de sentir dans ta chair, non la chair, mais la flèche antique)
Un pape ou deux, à l'opposé, au dernier jour de la semaine,
Cherchent au fond des catacombes le chemin de ton domaine.

La belle engeance de tomber dans des abîmes de ténèbres
Que le vin, lui-même banni, ne peut briser à coups de trique.
Bel avantage ! renoncer à l'ivresse de ton algèbre
Si on ne la retrouve, ô Calixto, dans le fond des barriques.
Ah ! que le destin nous préserve toujours du pain sans levain,
Des nuits sans rêves, des ciels sans astres et des caves sans vin.

Mais ris, ô Calixto, de celui qui espère après sa mort
Retrouver le souvenir de ses amours avec sa conscience :
Autant enterrer le cheval avec sa bride, avec son mors,
Et cependant la mort ainsi ne sera que nuit et silence.
Le système du monde et la morale ont chacun leur ornière,
Crimes ou vertus, rien d'humain ne change ton itinéraire.

N'attendre rien ni châtiment, ni récompense ici ou là
Et que ce là, soit haut ou bas, ait la vertu de plumer les ailes

17

2

Afin de retrouver, sous son travesti d'ange à falbalas,
Avec la volupté, sa chair et son sourire de femelle
Et la liberté sans laquelle il n'y a pas de vertu qui tienne.
Mais, Calixto, tout cela n'appartient qu'à la raison humaine.

Et s'il est une cause au tourbillon d'étoiles et d'atomes
Éparpillés dans ce que nous savons d'un récent univers,
Cause peut-être morte, ensevelie au fond de tant de psaumes,
Ressemble-t-elle à notre image ? a-t-elle aussi squelette et chair,
Non, sans doute mais, si elle est, elle est indifférente à nous,
A nos vertus et à nos lois. Époussetez donc vos genoux !

Captive d'un paysage en perpétuelle dégradation
C'est au chant des oiseaux, c'est au chant des moissons et des fontaine
Que se tisse autour de ton corps cette robe de permission
Qui t'habille à minuit et qui sonne et tinte comme des chaînes
Froide comme le nord, chaude comme la mort, longue comme elle
Que nous dégrafons, Calixto, dans un rêve au tien parallèle.

Et nous-mêmes, captifs de ce même univers et de sa chute,
Même à sourire, condamnés, de tout ce que nous ignorons,
Nous sourirons à l'ange avec lequel nous entamons la lutte,
Ange fantôme, ange illusoire, ange menteur et fanfaron
Qui, sans doute, vaincra mais qui ne connaîtra pas le laurier
Tant une minute de vie a triomphé du meurtrier.

Qu'il soit donc le cadavre bête, à la main gardant le couteau
Sur quoi la rouille, avec le sang, compose un visage et son masque,
Le sphinx à tête d'âne et muet, abandonné sur un coteau,
Carcasse d'un épouvantail qui s'incline dans la bourrasque.
N'y touchez pas, les vers eux seuls lui donnent vie et feu et cendre ;
Il ne s'anime que si nous tentons, contre eux, de le défendre.

Surtout taisez-vous ! Lui parler serait bêtise et temps perdu
Mais, dans l'empreinte pleine d'eau de son pied dans la terre molle,

Par ton image, Calixto, comme un œil le ciel est fendu.
L'oiseau vient boire à la fois l'ombre et la lumière en sa corolle,
Le dernier relent des charniers le vent l'emporte et le disperse,
Le sol palpite comme un ventre et pressent la prochaine averse.

Tu viens au labyrinthe où les ombres s'égarent
Graver sur les parois la frise d'un passé
Où la vie et le rêve et l'oubli, espacés
Par les nuits, revivront en symboles bizarres.

Je viens au labyrinthe où, plus gros qu'une amarre,
Se noua le vieux fil avant de se casser.
Ses deux bouts sur le sol roulent sans se lasser
Tout se tait, mais je sens naître au loin la fanfare.

Tu viens au labyrinthe et, d'un pas sans défaut,
Du seuil au seuil tu vas, tu passes sans assaut,
Ton être se dissout dans sa propre légende.

Je viens au labyrinthe oublier mes cinq sens.
J'ai choisi le courant sans en choisir le sens.
La fanfare s'éteint avant que je l'entende.

Sur le bord de l'abîme où tu vas disparaître,
Contemple encore la rose, écoute la chanson
Qu'autrefois tu chantais au seuil de ta maison
Vis encore un instant consenti à ton être.

Et puis tu rejoindras dans l'oubli tes ancêtres,
O passante ! Et passée avec tant de saisons
Tu te perdras dans la planète et ses moissons.
Ne va pas espérer pourtant un jour, renaître.

Une étoile filante, au fond des temps, rejoint
Maintes lueurs, maints crépuscules et maints points
Du jour au bord d'un fleuve où tu te désappris.

La matière est, en toi, consciente d'elle-même,
Au loin l'écho se tait qui répétait « je t'aime »
Et le pur mouvement n'émeut plus nul esprit.

Abandonnons à toi, rivière,
De nous, l'infidèle reflet
Que tu laves, que tu lacères,
A qui tu restes étrangère
Et que tu laisses aux galets.
A s'endormir à la légère,
Nous rejoindrons ce faux portrait
Qui nous ressemble trait pour trait.

Baignant nos pieds, voici la Saône
Voici des ponts, voici du vent,
Voici Lyon et voici le Rhône,
Voici la lune sur son trône
Qui, dans son palais du Levant,
Éteint les torches aux pylônes
Pour mieux attirer Don Juan
A l'aisselle du confluent.

Car cette nuit est nuit de noces.
De par le monde on boit du vin,
On entend des bruits de carrosses
Et des aboiements de molosses
Au fond des bois et des ravins.
L'or qui tintait pour le négoce
Met le reflet des chandeliers
Au cou des femmes, en colliers.

Un couple, sous le ciel, s'épouse.
Bien loin, dans un lieu très secret,
Des violons, sur les pelouses,
Font pleurer des femmes jalouses
Et chacun boit, mais nul ne sait
Pour qui les heures de nuit cousent
Un trousseau de fièvre et d'amour
Et le linceul du petit jour.

On dit qu'en grand mystère, à minuit, près d'une source
Un jeune homme de pleines vertus
Va dévêtir une jeune fille dont la grâce et la pudeur égalent
    l'ardeur de volupté;
On dit qu'un couple, au matin, sera réveillé
Par l'odeur de la forêt et le chant des oiseaux;
On dit qu'ils vivront longuement une inaltérable jeunesse.

On dit qu'ils seront le couple parfait,
Que la femme enfantera, dans la joie, des enfants à leur image,
On dit que leur bonheur ne cédera pas à l'ennui, ni leur désir à
    la lassitude,
On dit qu'on aurait voulu naître d'un tel père et d'une telle mère
Et vivre les années qui suivront cette noce,
On dit, mais on n'est pas certain, qu'ils ont, à l'instant, échangé
    leur premier baiser.

On dit, et de cela on est sûr, qu'ils sont les enfants de la terre
Que leurs vertus, leurs pensées et leurs désirs ignorent tout ce
    qui n'est pas la terre,
Qu'ils goûteront sans danger à tous les fruits.
Et, toi, Calixto, étoile de la terre, à peine visible dans la lumière,

Tu continues à servir de repère sur notre route certaine vers un but lointain.

Mais le regard que nous portons sur toi s'envole et rompt le fil qui devrait t'attacher à nous et nous à toi.

Mais tu te trisses, tu décarres
Et dans la boîte à réfléchir
La der des noyes, malabare,
Remet du noir et plus que mare
Nous corne qu'il faut dégauchir.
Minute ! à la dernière gare
Le dur attendra mézigo :
Signé « Canrobert » ou « Gigot ».

A revivre tous les naufrages
Pour en être sauvé toujours
Par la vague même et l'orage,
Tel atteignit un paysage
Au-delà des nuits et des jours.
C'était le domaine des sages,
Il en donna la clé aux fous
Pour chercher un lieu sans verrous.

A s'endormir à la légère,
O lumière, ô Calixto,
Il prit la route buissonnière
Vers un réveil qui le libère
Autant des ports que des bateaux.

A s'endormir à la légère,
En retrouvant la pesanteur
Il retrouva son créateur,

A s'endormir à la légère :
La terre et, seulement, la terre...

Septembre 1943.

CONTRÉE

A Youki.

LA CASCADE

Quelle flèche a percé le ciel et le rocher ?
Elle vibre. Elle étale, ainsi qu'un paon, sa queue
Ou, comme la comète à minuit vient nicher,
Le brouillard de sa tige et ses pennes sans nœuds.

Que surgisse le sang de la chair entr'ouverte,
Lèvres taisant déjà le murmure et le cri,
Un doigt posé suspend le temps et déconcerte
Le témoin dans les yeux duquel le fait s'inscrit.

Silence ? nous savons pourtant les mots de passe,
Sentinelles perdues loin des feux de bivouac
Nous sentirons monter dans les ténèbres basses
L'odeur du chèvrefeuille et celle du ressac.

Qu'enfin l'aube jaillisse à travers tes abîmes,
Distance, et qu'un rayon dessine sur les eaux,
Présage du retour de l'archer et des hymnes,
Un arc-en-ciel et son carquois plein de roseaux.

LA RIVIÈRE

D'un bord à l'autre bord j'ai passé la rivière,
Suivant à pied le pont qui la franchit d'un jet
Et mêle dans les eaux son ombre et son reflet
Au fil bleu par le savon des lavandières.

J'ai marché dans le gué qui chante à sa manière.
Étoiles et cailloux sous mes pas le jonchaient.
J'allais vers le gazon, j'allais vers la forêt
Où le vent frissonnait dans sa robe légère.

J'ai nagé. J'ai passé, mieux vêtu par cette eau
Que par ma propre chair et par ma propre peau.
C'était hier. Déjà l'aube et le ciel s'épousent.

Et voici que mes yeux et mon corps sont pesants,
Il fait clair et j'ai soif et je cherche à présent
La fontaine qui chante au cœur d'une pelouse.

LE COTEAU

Derrière ce coteau la vallée est dans l'ombre,
L'odeur du bois qui flambe et de l'herbe parvient
Jusqu'au désert présent, lueurs et rocs sans nombre,
Avec des cris d'enfant et des abois de chien.

Les cris sont déchirants de l'enfant qu'on égorge.
Le chien appelle en vain. Un sort est sur ces lieux.
Rien n'est réel ici que cette odeur de forge
Qui nous berce et nous saoule et nous rougit les yeux.

L'aube peut revenir et le soleil nous prendre.
En vain : les aboiements et les cris perceront
L'épaisseur de la nuit, l'épaisseur de la cendre
Qui remplissent nos cœurs, qui brûlent sous nos fronts.

LA ROUTE

Une route est près d'ici,
J'entends le bruit des voitures,
Le vent, les pas indécis
D'une lourde créature
Qui va, qui vient, qui soupire,
Trébuche sur les cailloux,
Implore, mendie, expire.
Est-ce un dieu ? Est-ce un voyou ?

Lourdement sa main se dresse
Sur la prairie des cheveux.
Elle esquisse une caresse
Et crispe ses doigts nerveux.
Enfin le restant du corps
Surgit droit jusqu'aux nuages
Et le soleil couvre d'or
Le géant des marécages.

Est-ce Hercule ? Ou est-ce Atlas ?
Il marche à travers la plaine.
De son long sans un hélas
Il tombe et perd son haleine.
Il recouvre de sa masse

Le paysage en entier
Et puis plus rien, plus de trace,
Ni colline, ni sentier.

Moins réel que les mirages
Ainsi disparaît celui
Qui voulait dicter aux âges,
Aux vents, aux jours et aux nuits.

LE CIMETIÈRE

Ici sera ma tombe, et pas ailleurs, sous ces trois arbres.
J'en cueille les premières feuilles du printemps
Entre un socle de granit et une colonne de marbre.

J'en cueille les premières feuilles du printemps,
Mais d'autres feuilles se nourriront de l'heureuse pourriture
De ce corps qui vivra, s'il le peut, cent mille ans.

Mais d'autres feuilles se nourriront de l'heureuse pourriture,
Mais d'autres feuilles se noirciront
Sous la plume de ceux qui content leurs aventures.

Mais d'autres feuilles se noirciront
D'une encre plus liquide que le sang et l'eau des fontaines :
Testaments non observés, paroles perdues au-delà des monts.

D'une encre plus liquide que le sang et l'eau des fontaines
Puis-je défendre ma mémoire contre l'oubli
Comme une seiche qui s'enfuit à perdre sang, à perdre haleine ?

Puis-je défendre ma mémoire contre l'oubli ?

LA CLAIRIÈRE

Le socle sans statue, à l'ombre de ces arbres
S'enfonce dans le sol un peu plus chaque jour
Sous l'invisible poids d'un fantôme de marbre
Qui le piétine et le talonne et se fait lourd.

A moins qu'en s'en allant vers un fatal banquet
Le commandeur ne l'ait renvoyé au naufrage.
Comme un caillou qu'on jette à l'eau, du bord des plages,
Il fait mouche à sa cible et rejoint son reflet.

Mais je devrais entendre, au moins, près de l'étang
La fanfare sonnée par Don Juan qui l'invite...
La voici, les échos la portent, je l'entends.
Je sens sous mes deux pieds la terre qui palpite.

LA CAVERNE

Voici dans les rochers l'accès du corridor,
Il descend, dans la nuit, au cœur de la planète.
Le bruit du monde ici se dissout et s'endort.
A son seuil le soleil et la lune s'arrêtent.

Eurydice est passée par là, voici son pied
Dans la terre marqué mais la piste se brise,
La phrase s'interrompt, le serment est délié,
Le cavalier se cabre et se fixe à la frise.

Ces autres pas qui vont ailleurs sont ceux d'Orphée,
L'éclipse est terminée et le ciel resplendit
En nous rendant notre ombre et sa maison hantée.

Loin, derrière un fourré d'épines et de roses
La ménade s'endort dans le bois interdit.
Un nuage est au ciel comme une fleur éclose.

LE SOUVENIR

M'étant par bonheur attardé,
En flânant dans les avenues,
A votre fenêtre accoudée
Je vous ai bien surprise nue,
Mais mon cœur était accordé.

Mais mon cœur était accordé
A des voix de très loin venues.
Le noir de l'ombre avait fardé
Les grands yeux blancs de la statue
Du carrefour où j'ai rôdé.

Venant d'Arcueil ou de Passy
Un vent frais soufflait dans la rue :
Je suis passé, c'était ici
Et je vous ai surprise nue
Tachant de blanc la molle nuit.

Feuille morte des temps passés,
Fantôme une nuit apparue,
Beaux drapeaux au matin hissés,
Qu'êtes-vous belle devenue,
Dans Paris la ville pressée ?

Pressée de vivre et de flamber,
Impassible et bien vite émue,
De tant de nuits vite tombées,
Telle celle où vous étiez nue
A votre fenêtre accoudée.

LA PROPHÉTIE

D'une place de Paris jaillira une si claire fontaine
Que le sang des vierges et les ruisseaux des glaciers
Près d'elle paraîtront opaques.
Les étoiles sortiront en essaim de leurs ruches lointaines
Et s'aggloméreront pour se mirer dans ses eaux
      près de la Tour Saint-Jacques.

D'une place de Paris jaillira une si claire fontaine
Qu'on viendra s'y baigner, en cachette, dès l'aurore.
Sainte Opportune et ses lavandières seront ses marraines
Et ses eaux couleront vers le sud venant du nord.

Un grand marronnier rouge fleurit à la place
Où coulera la fontaine future,
Peut-être dans mon grand âge
Entendrai-je son murmure;

Or le chant est si doux de la claire fontaine
Qu'il baigne déjà mes yeux et mon cœur.
Ce sera le plus bel affluent de la Seine,
Le gage le plus sûr des printemps à venir,
      de leurs oiseaux et de leurs fleurs.

LE SORT

J'ai souhaité ta mort et rien ne peut l'empêcher
    de venir prématurément
Je t'ai vu couvert de sueur et de sanies
A l'instant même de ton agonie
Et tout en toi était cruel et dément.

Écoute. Ce jour-là un gros nuage s'élevait des collines
    de Bicêtre
Et montait derrière le Dôme du Val-de-Grâce.
Un enfant criait qui venait de naître,
Rue Saint-Jacques, dans une maison basse.

Rien ne peut désormais te sauver de la honte et de la douleur
Car mon souhait avait la saveur des choses qui se réalisent.
Déjà d'imperceptibles signes physiques, dans ton esprit
    et dans ton cœur,
T'avertissent qu'il est temps et adieu la valise.

Rien ne te servirait de pleurer et te repentir,
Rien ne te servirait d'avoir une attitude noble,
Car le néant est ton seul devenir
Et ton nom ne survivra pas dans les proverbes du peuple.

Le nuage noir a débordé le Val-de-Grâce et Saint-Sulpice,
Il s'est longuement reflété dans la Seine avant de
    se résoudre en orage.
Moi je le regardais du haut d'une blanche bâtisse
Et son tonnerre a libéré de grands oiseaux de leur cage.

LA MOISSON

Incroyable est de se croire
Vivant, réel, existant.
Incroyable est de se croire
Mort, feu, défunt, hors du temps.
Incroyable est de se croire
Et plus incroyable encore
De se croire, pour mémoire,
Un rêve, une âme sans corps.

Belles roses du passé,
Roses, odorantes roses,
Qui dès l'aube frémissez,
A la nuit déjà décloses,
Votre sort rapide et long
Est égal à nos années
Même si, dans le salon,
On vous apporte fanées.

Nos dieux étaient trop fragiles,
C'étaient de petites gens,
Dans un petit domicile,
Vivant de fort peu d'argent.
Plus grande est notre fortune

Et plus sombre est notre sort.
Nous ne voulons pas la lune.
Nous ne craignons pas la mort.

Par nos cinq sens ligoté
Notre univers rapetisse.
Adieu rêve, adieu beauté !
De vous je fais sacrifice
Au monde trop limité.

LA SIESTE

Cent mille années dans mon sommeil d'après-midi
Ont duré moins longtemps qu'une exacte seconde.
Je reparais du fond d'un rêve incontredit
Dans la réalité de ma chair et du monde.

Je retrouve en ma bouche une ancienne saveur
Et des noms de jadis et des baisers si tendres
Que je ne sais plus qui je suis ni si mon cœur
Bat dans le sûr présent ou le passé de cendres.

Éclatez ! O volcans ! du fond des souvenirs,
Noyez sous votre lave un esprit qui se lasse,
Brûlez les vieux billets et puissiez vous ternir
A jamais le miroir dont le tain mord la glace.

LA VILLE

Se heurter à la foule et courir par les rues,
Saisi en plein soleil par l'angoisse et la peur,
Pressentir le danger, la mort et le malheur,
Brouiller sa piste et fuir une ombre inaperçue,

C'est le sort de celui qui, rêvant en chemin,
S'égare dans son rêve et se mêle aux fantômes,
Se glisse en leur manteau, prend leur place au royaume
Où la matière cède aux caresses des mains.

Tout ce monde est sorti du creux de sa cervelle.
Il l'entoure, il le masque, il le trompe, il l'étreint,
Il lui faut s'arrêter, laisser passer le train
Des créatures nées dans un corps qui chancelle.

Nausée de souvenirs, regrets des soleils veufs,
Résurgence de source, écho d'un chant de brume,
Vous n'êtes que scories et vous n'êtes qu'écume.
Je voudrais naître chaque jour sous un ciel neuf.

LA MAISON

Trois fois le vent, plus libre et plus furieux qu'un ange,
A soufflé dans son cor auprès de la maison.
Qu'un ange ? C'est un ange évadé de prison
Qui descend l'escalier mais que l'ombre dérange,

L'ombre qui le repousse et dont la toile étrange
Accroche des soleils aux fils de l'horizon
Et plus de vers luisants qu'il n'en est au gazon
Ou dans l'obscurité protectrice des granges.

Il descend et son pas tinte dans l'escalier
Comme un pot de cristal sur le sol du cellier.
Il descend, il atteint déjà le vestibule.

Le porche s'ouvre en grand sur l'entonnoir des nuits.
J'écoute et l'imagine. Il marche, il sort, il fuit,
Il vole dans un ciel crevé de péninsules.

LE PAYSAGE

J'avais rêvé d'aimer. J'aime encor mais l'amour
Ce n'est plus ce bouquet de lilas et de roses
Chargeant de leurs parfums la forêt où repose
Une flamme à l'issue de sentiers sans détour.

J'avais rêvé d'aimer. J'aime encor mais l'amour
Ce n'est plus cet orage où l'éclair superpose
Ses bûchers aux châteaux, déroute, décompose,
Illumine en fuyant l'adieu du carrefour.

C'est le silex en feu sous mon pas dans la nuit,
Le mot qu'aucun lexique au monde n'a traduit
L'écume sur la mer, dans le ciel ce nuage.

A vieillir tout devient rigide et lumineux,
Des boulevards sans noms et des cordes sans nœuds.
Je me sens me roidir avec le paysage.

LA NUIT D'ÉTÉ

Aux rosiers remontants ta robe déchirée
Accroche des lambeaux, les vapeurs du matin.
Tu mêles en marchant les lilas et le thym
Aux fleurs d'autres saisons et d'une autre contrée.

Tu te diriges vers le bois, là où l'orée
Ouvre un chemin retentissant de cris lointains.
Le feu de la Saint-Jean dans le vallon s'éteint.
La nuit, la courte nuit, déjà s'est égarée.

Jeune fille aux beaux seins, au regard sans lumière,
J'ai déjà vu tes sœurs. Tu n'es pas la première
A te perdre en courant les jardins et les champs.

Quand, à travers la haie, tu te fis un passage
La ronce t'a griffé la cuisse et le visage
Et le ciel a pâli au bruit de nouveaux chants.

LA PESTE

Dans la rue un pas retentit. La cloche n'a qu'un seul
battant. Où va-t-il le promeneur qui se rapproche
lentement et s'arrête par instant ? Le voici devant
la maison. J'entends son souffle derrière la porte.

Je vois le ciel à travers la vitre. Je vois le ciel où les
astres roulent sur l'arête des toits. C'est la grande
Ourse ou Bételgeuse, c'est Vénus au ventre blanc, c'est
Diane qui dégrafe sa tunique près d'une fontaine de lumière.

Jamais lunes ni soleils ne roulèrent si loin de la
terre, jamais l'air de nuit ne fut si opaque et si
lourd. Je pèse sur ma porte qui résiste...

Elle s'ouvre enfin, son battant claque contre le
mur. Et tandis que le pas s'éloigne je déchiffre
sur une affiche jaune les lettres noires du mot « Peste ».

LA NYMPHE ALCESTE

Tu es née, à minuit, du baiser de deux sources,
Alceste, et l'univers ne t'offre que reflets,
Lueurs, lampe allumée au lointain, feux follets
Et dans le ciel les sept flambeaux de la Grande Ourse.

Il fait noir et, partant au signal de la course,
Tu ne soupçonnes pas que la nuit se soumet
Et se dissout quand le soleil, sur les sommets,
Par le chant des oiseaux répand l'or de sa bourse.

Je sais que reviendront l'aurore et le matin.
Je les ai vus, tu les verras, j'en suis certain.
Déjà mon cœur se gonfle au rythme de leur danse.

Mais saurai-je à ta sœur qui doit naître en plein jour,
Nymphe Alceste, annoncer, dès midi, le retour
Du crépuscule, de la nuit et du silence ?

LA VOIX

Une voix, une voix qui vient de si loin
Qu'elle ne fait plus tinter les oreilles,
Une voix, comme un tambour, voilée
Parvient pourtant, distinctement, jusqu'à nous.

Bien qu'elle semble sortir d'un tombeau
Elle ne parle que d'été et de printemps,
Elle emplit le corps de joie,
Elle allume aux lèvres le sourire.

Je l'écoute. Ce n'est qu'une voix humaine
Qui traverse les fracas de la vie et des batailles,
L'écroulement du tonnerre et le murmure des bavardages.

Et vous ? ne l'entendez-vous pas ?
Elle dit « La peine sera de peu de durée »
Elle dit « La belle saison est proche ».

Ne l'entendez-vous pas ?

LA VENDANGE

Les fauves sont partis, soumis au vendangeur
Tandis qu'en la cité, construite à son de flûte,
Au cirque, le laurier se fane après la lutte,
Que le nom des champions s'efface au mur d'honneur.

Le cortège s'éloigne. Il passe les hauteurs,
Des tas de soldats tués pourrissent sous les buttes,
La terre, ivre de sang, transpire, écume, jute
Et d'un fumier puissant submerge les vainqueurs.

Toi seul restes toi-même, ô Vin, dans tes barriques,
Tu teindras notre bouche à tes couleurs magiques,
Puis nous irons rejoindre en terre les palais

Dont la cloche rythmant la chanson des cigales,
Se tait, comme autrefois la flûte et les cymbales.
Le vent même s'est tu. Le tonnerre se tait.

L'ÉQUINOXE

Un coq à d'autres coqs répond. Le temps est gris,
L'équinoxe roulant ses tonneaux à grand-peine
Depuis la mer du Nord jusqu'aux bords de la Seine
A travers les odeurs, les éclairs et les cris.

Le corps décapité de l'évêque Denis
Saigne avec les raisins d'Argenteuil et Suresnes.
On enchaîne à des chars des héros et des reines.
Les temples, un à un, croulent sur les parvis

Mais, tout à l'heure encore, un arc-en-ciel de nuit
Enjambait la vallée et la lune vers lui
Roulait. Le jour parut et tout ne fut que brume.

Mérite-t-il vraiment le nom de jour, ce jour
Dont s'encrasse la ville et la vie et l'amour ?
Oui, car la flamme enfin, dans le brouillard s'allume.

LA PLAGE

Sur la plage où blanchit la mer dans les ténèbres,
Où le figuier frémit sous le poids des oiseaux,
Un homme, à demi-voix, n'a prononcé qu'un mot :
Celui qui l'a reçu s'éloigne sous les cèdres.

Il est l'heure. Bacchus entreprend sa conquête.
Un rendez-vous l'accable et, comme un ruisseau sourd,
L'espace le pénètre. Il fit nuit. Fait-il jour ?
Qu'importe, dispersez les foyers de la fête.

Dans un pays de bois et de fraîches rivières
Un homme sent couler, dans ses veines, son sang.
Il connaît ce pays, ces hommes, leur accent.
Déjà l'odeur du sol lui était familière.

Sur la plage celui qui livra le secret
Gît avec un poignard entre les deux épaules,
Mais sa voix flotte encor sur l'eau, le long du môle
Et répète le mot d'où naquit son regret.

Sans cesse elle redit ces syllabes : Corinthe,
Et la terre gémit de langueur et de crainte.

L'ASILE

Celui-là que trahit les rages de son ventre
Et que tel pâle éclair de ses nuits a, souvent,
Humilié, s'humilie. Il se soumet, il entre
A l'asile de fous comme on entre au couvent.

Puissé-je rester libre et garder ma raison
Comme un sextant précis à travers les tempêtes,
Lieux d'asile mon cœur, ma tête et ma maison
Et le droit de fixer en face hommes et bêtes.

Vertu tu n'es qu'un mot, mais le seul mot de passe
Qui m'ouvre l'horizon, déchire le décor
Et soumet à mes vœux l'espéré Val-de-Grâce

Où le sage s'éveille, où le héros s'endort.
Que le rêve de l'un et la réalité
De l'autre soient présents bientôt dans la cité.

LE RÉVEIL

Entendez-vous le bruit des roues sur le pavé ?
Il est tard. Levez-vous. Midi à son de trompe
Réclame le passage à l'écluse et, rêvé,
Le monde enfin s'incarne et déroule ses pompes.

Il est tard. Levez-vous. L'eau coule en la baignoire.
Il faut laver ce corps que la nuit a souillé.
Il faut nourrir ce corps affamé de victoire.
Il faut vêtir ce corps après l'avoir mouillé.

Après avoir frotté les mains que tachait l'encre,
Après avoir brossé les dents où pourrissaient
Tant de mots retenus comme bateaux à l'ancre,
Tant de chansons, de vérités et de secrets.

Il est tard. Levez-vous. Dans la rue un refrain
Vous appelle et vous dit « Voici la vie réelle ».
On a mis le couvert. Mangez à votre faim
Puis remettez le mors au cheval qu'on attelle.

Pourtant pensez à ceux qui sont muets et sourds
Car ils sont morts, assassinés, au petit jour.

L'ÉPITAPHE

J'ai vécu dans ces temps et depuis mille années
Je suis mort. Je vivais, non déchu mais traqué.
Toute noblesse humaine étant emprisonnée
J'étais libre parmi les esclaves masqués.

J'ai vécu dans ces temps et pourtant j'étais libre.
Je regardais le fleuve et la terre et le ciel
Tourner autour de moi, garder leur équilibre
Et les saisons fournir leurs oiseaux et leur miel.

Vous qui vivez qu'avez-vous fait de ces fortunes ?
Regrettez-vous les temps où je me débattais ?
Avez-vous cultivé pour des moissons communes ?
Avez-vous enrichi la ville où j'habitais ?

Vivants, ne craignez rien de moi, car je suis mort.
Rien ne survit de mon esprit ni de mon corps.

Achevé d'imprimer
sur les presses
de l'imprimerie Darantiere
à Dijon
le 12 septembre 1962.

Nº d'édition : 9089
Dépôt légal : 4ᵉ trimestre 1962

IMPRIMÉ EN FRANCE

DATE DUE